Ciekawe dlaczego

Telefon dzwoni

i inne pytania na temat komunikacji

Richard Mead

Tytuł oryginału:The Telephone Rings
Published by arrangement with Kingfisher
Publications plc.
© for the Polish translation by Janusz Ochab
© for the Polish edition by Firma Księgarska Jacek i Krzysztof Olesiejuk
„Inwestycje" Sp. z o.o.

ISBN 83-7423-575-6

Autor: Richard Mead
Ilustracje okładki: Biz Hull (Artist Partners)
Ilustracje: Susanna Addario 22-23; Peter Dennis (Linda
Rogers) 18-19; Chris Forsey 14-15, 23tr, 30-31; Terry
Gabbey (AFA Ltd) 16-17; Christian Hook 24-25, 28-29;
Biz Hull (Artist Partners) cover, 4-5, 6-7; Tony Kenyon
(BL Kearley) all cartoons; Nicki Palin 8-9, 10-11, 12-13;
Mike Saunders 26-27; Ian Thompson

Książka przygotowana we współpracy z wydawnictwem
Book House
Book
House

Przygotowanie do druku: PM-studio
Druk: Legra Sp. z o.o.

Wydawca: Firma Księgarska Jacek i Krzysztof Olesiejuk
„Inwestycje" Sp. z o.o.
01-217 Warszawa
ul. Kolejowa 15/17

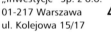

SPIS TREŚCI

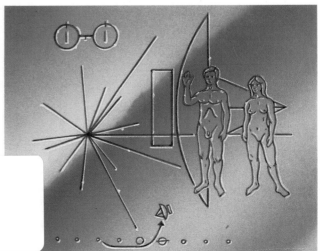

Dlaczego się komunikujemy?

Komunikacja to wymiana informacji. Gdybyśmy nie dzielili się naszymi odkryciami, każdy z nas musiałby sam uczyć się wszystkiego.

Nie wiedzielibyśmy, na przykład, że ogień parzy, dopóki sami byśmy się nie sparzyli. Nie byłoby też takich rzeczy jak ulubiona książka!

Przede wszystkim jednak, dzieląc się uczuciami z innymi ludźmi, uprzyjemniamy sobie życie, bo możemy mieć przyjaciół.

● Obrazki to dobry sposób przekazywania informacji. Są zrozumiałe dla ludzi, którzy nie umieją czytać albo którzy pochodzą z innego kraju i nie znają naszego języka.

● Zanim jeszcze nauczymy się mówić, możemy dać innym znać, że czegoś chcemy!

● Zakopanie kapsuły czasowej to sposób na komunikację przez wieki. Mamy nadzieję, że to pomoże ludziom z przyszłości odtworzyć prawdziwy obraz przeszłości. Co zakopalibyście w takiej kapsule, by pokazać swoje życie?

Jak się komunikujemy?

Kiedy ktoś jest obok nas, komunikuje się z nami za pomocą głosu, a nawet języka ciała. Gdy ktoś przebywa daleko, może się z nami skontaktować przez telefon albo może wysłać nam list. Jednak ludzie, których nigdy nie spotkaliśmy, także się z nami komunikują – poprzez swoje książki, filmy lub programy radiowe i telewizyjne.

● Niemożność komunikowania się jest okropna. Dlatego szczególnie dotkliwą karą dla więźnia jest jednoosobowa cela.

Jak zmysły pomagają nam się komunikować?

Otrzymujemy informację o świecie za pośrednictwem zmysłów. Smak, dotyk i węch przekazują nam informacje o rzeczach znajdujących się blisko. Dzięki oczom i uszom możemy widzieć i słyszeć także to, co dzieje się dalej.

● Czasami za pomocą wzroku nie potrafimy określić, gdzie znajduje się dany przedmiot. Wtedy musimy skorzystać z innych zmysłów, takich jak węch czy słuch.

● Kiedy się zranisz, maleńkie zakończenia nerwowe w skórze przesyłają wiadomości do twojego mózgu. Uczucie bólu informuje, co jest dla nas bolesne, byśmy nie robili tego więcej!

● Ludzie niewidomi potrzebują kogoś, kto będzie ich oczami. Tresura psa przewodnika trwa dwa lata, a potem pies pozostaje ze swym właścicielem do końca życia.

Jak możesz mówić palcami?

Język migowy to bardzo przydatny sposób komunikacji używany przez ludzi, którzy nie słyszą lub nie mówią. Niektóre znaki oznaczają pojedyncze litery, jednak większość to symbole całych słów.

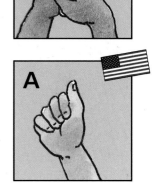

● Istnieją różne języki migowe, tak jak różne języki mówione. Amerykańskie znaki pokazuje się zazwyczaj jedną ręką, a do większości angielskich i polskich potrzebne są obie dłonie.

Kiedy nos wie najlepiej?

Twój nos może być bardzo przydatny w niebezpiecznych sytuacjach. Nie zobaczysz ani nie usłyszysz ulatniającego się gazu, ale z pewnością go poczujesz. Twój nos powstrzymuje cię także przed zjedzeniem zepsutych rzeczy – spróbuj powąchać przeterminowane mleko!

Jak mówi twoje ciało?

Nie musisz mówić, by inni cię zrozumieli – możesz używać swojego ciała. Pomyśl tylko, na ile sposobów możesz przywitać się z innymi, nie mówiąc ani słowa. W zależności od tego, w jakiej części świata się znajdujesz, możesz do kogoś pomachać, uścisnąć komuś dłoń, pocałować w policzek, skinąć głową, uściskać kogoś serdecznie, „przybić piątkę", potrzeć nosem o nos albo się ukłonić!

Dlaczego „nic" jest niegrzeczne?

Jeśli połączysz palec wskazujący z kciukiem we Francji, będzie to oznaczało „nic" – lub, że coś jest bezwartościowe. Jeśli jednak wykonasz ten sam gest na Bliskim Wschodzie, powiesz komuś w niegrzeczny sposób, by się wynosił! W Japonii ten znak symbolizuje pieniądze, a w Stanach Zjednoczonych oznacza tyle samo co „okej"!

● Czasami kłamiąc, dotykasz twarzy, jakby twoja dłoń mogła ukryć kłamstwo wychodzące z twych ust!

● Jeśli jednak rozmowa z kimś sprawia ci przyjemność, możesz zacząć naśladować jego ruchy!

● Kiedy jesteśmy zdenerwowani, często splatamy ręce na piersiach. Tworzymy w ten sposób barierę, która broni nas przed innymi.

● Możesz pozdrawiać ludzi ruchem ciała. W Japonii ludzie witają się, składając lekki ukłon i trzymając stopy razem.

9

Dlaczego zwierzęta nie mówią jak ludzie?

Niemal wszystkie zwierzęta mają głos, ale żadne nie potrafi operować nim tak precyzyjnie jak człowiek.

Nasze struny głosowe, język, usta, zęby i nos pozwalają nam wytwarzać tysiące różnych dźwięków. Naukowcy próbowali nauczyć małpy mówić, ale potrafiły one tylko naśladować kilka prostych słów jak papugi!

● Delfiny mogą wytwarzać wiele różnych dźwięków, m.in. piski, gwizdy i trzaski. Kiedy delfin jest zdenerwowany, gwiżdże w specyficzny sposób. Wtedy delfiny przebywające w pobliżu wiedzą, że trzeba przypłynąć mu z pomocą.

Dlaczego koty mruczą?

Koty nie potrafią mówić, ale mogą pokazać nam w inny sposób, jak się czują. Kiedy kot mruczy, chce nam powiedzieć, że jest zadowolony. Czasami jednak koty mruczą, kiedy coś im się stało, by się pocieszyć.

Kto tupie nogami?

W lesie deszczowym może być bardzo głośno, więc samice malajskich rzekotek drzewnych nie porozumiewają się za pomocą głosu, lecz stukają nogą w liść. Człowiek nie jest w stanie wyczuć tych delikatnych wibracji, lecz samce żab schodzą się ze wszystkich stron na takie wołanie!

● Samce antylop pocierają pyskiem o drzewa i liście, zostawiając swój zapach, wiadomość dla innych antylop. Wiadomość brzmi: „Trzymaj się z dala! "

● Dorosły świetlik włącza i wyłącza swe światełko, wysyłając w ten sposób sygnały do innych świetlików. Niektóre świecą tak jasno, że można przy nich czytać książkę!

Kiedy po raz pierwszy obrazy opowiedziały historię?

Ponad 20 000 lat temu! Ludzie pierwotni malowali obrazy na ścianach jaskiń, aby opowiadać w ten sposób różne historie, na przykład o łowach. Malowidła te informują nas również o tym, że ludzie pierwotni wytwarzali farby z ziemi, węgla i roślin.

Czego może nauczyć cię okno?

Witraże w kościołach pokazują sceny biblijne. Dawno temu tylko nieliczni ludzie umieli czytać, pozostali mogli jednak patrzeć na witraże i poznawać w ten sposób różne opowieści, na przykład o arce Noego.

● Kiedy artyści malują portrety, często umieszczają na nich specjalne wskazówki, które mówią nam coś więcej o portretowanej osobie. Francisco Goya był słynnym malarzem hiszpańskim. Namalował siebie samego przy pracy i pokazał na obrazie swe ulubione pędzle i kolory.

Dlaczego rycerze mieli herby?

Kiedy rycerze zaczęli nosić hełmy, trudno było powiedzieć, kto jest kim, szczególnie podczas zażartej bitwy! Dlatego każdy rycerz miał herb – znak zdobiący jego tarczę, lancę, a nawet konia! Dzięki temu mógł mieć pewność, że nie zostanie przez pomyłkę zaatakowany przez sprzymierzeńca.

● Ludzie malujący sprayem czasami malują na zamówienie całe ściany w biedniejszych dzielnicach miast. Jednak nie każde graffiti to sztuka! Co roku wydaje się mnóstwo pieniędzy na usuwanie niechcianego graffiti.

Czym jest martwy język?

Martwy język to taki język, którym nikt już nie mówi. Dwa tysiące lat temu Rzymianie rozmawiali ze sobą po łacinie. Choć łaciny wciąż uczy się w szkołach, nie jest to dzisiaj język ojczysty żadnego narodu, więc nazywamy go martwym.

Kto zaczął rozmawiać?

Nikt nie wie, jak i kiedy ludzie przemówili po raz pierwszy. Być może zaczęli od naśladowania otaczających ich dźwięków, takich jak gwizd wiatru. Jedno z pierwszych słów oznaczało zapewne „atakuj". Komunikując się przy pomocy słów, ludzie mogli sobie lepiej i łatwiej pomagać.

● Twoje imię także może mówić za ciebie! W XII wieku w Europie ludzie zaczęli używać nazwy swego zawodu jako nazwiska. Z pewnością łatwo się domyślisz, jak zarabiał na życie człowiek o nazwisku Piekarz.

● Życie byłoby znacznie prostsze, gdybyśmy wszyscy mówili tym samym językiem. Setki ludzi próbowały stworzyć język, którego używaliby wszyscy na świecie. Esperanto jest wśród nich najpopularniejsze – używa go ponad 100 000 ludzi!

Czy języki się zmieniają?

Wciąż powstają nowe słowa! Pomyślcie tylko, ilu odkryć dokonaliśmy w ciągu ostatnich stu lat. Odkąd zaczęliśmy podbój kosmosu, pojawiły się takie słowa, jak na przykład statek kosmiczny, astronauta czy wahadłowiec.

● Syntezator mowy to specjalne urządzenie dla ludzi, którzy nie mogą mówić. Wpisujemy słowa, które chcielibyśmy wypowiedzieć, na klawiaturze, a syntezator wymawia je głośno za nas!

Kiedy pojawiło się pismo?

Pierwsze prawdziwe pismo zostało wynalezione przez Sumerów ponad 5000 lat temu. Oznaczali oni różne przedmioty i pojęcia za pomocą specjalnych obrazków zwanych piktogramami. Wkrótce wynaleźli także piktogramy przedstawiające różne dźwięki. Wtedy można już było zapisać każde słowo, które dało się wypowiedzieć!

Kto pisał na roślinach?

Starożytni Egipcjanie! Używali łodyg rośliny zwanej papirusem, która rosła na brzegach rzeki Nil.
Cięli łodygi na wąskie paski, które potem zgniatali w jeden arkusz. Nasze słowo „papier" pochodzi właśnie od „papirusu".

● Pismo prawdopodobnie powstało po to, by ludzie mogli opisywać towary i pieniądze, które za nie otrzymywali.

Kto pisał szyfrem?

Wikingowie zamiast liter używali znaków zwanych runami. Wszystkie runy składały się tylko z linii prostych. Słowo runy oznacza „tajemnicę". Tysiąc lat temu bardzo niewielu ludzi potrafiło czytać i pisać. Niektórzy uważali nawet, że każdy, kto rozumie runy, musi mieć magiczną moc!

Dlaczego maszyny do pisania doprowadzały ludzi do szaleństwa?

● W elektronicznym notesie można pisać tak, jakby był to zwyczajny notes, trzeba jednak używać specjalnego ołówka. Niektóre notesy zachowują informacje dokładnie tak, jak zostały zapisane – inne poprawią twój charakter pisma!

Ludzie często boją się nowych wynalazków. Kiedy w 1874 r. zaczęto sprzedawać pierwsze maszyny do pisania, niektórzy lekarze mówili, że używanie takich urządzeń może przyprawić człowieka o obłęd!

Jak mój list dociera do przyjaciela?

Kiedy wysyłasz list, pracownik poczty zabiera go ze skrzynki do najbliższej poczty. Tutaj list trafia do torby z innymi listami wysłanymi do tego samego rejonu – zawsze więc wyraźnie pisz adres! Potem torba z twoim listem zostaje przesłana do poczty w pobliżu domu twego przyjaciela. Stamtąd zabiera go listonosz, który zanosi list pod właściwy adres!

● Do miejsc oddalonych od miast i wiosek pocztę dostarcza się samolotem raz w tygodniu.

● Buffalo Bill należał do zespołu jeźdźców zwanego Pony Express. Jeźdźcy Pony Express zaczęli w 1860 r. rozwozić listy w Stanach Zjednoczonych. Robili to znacznie szybciej niż inne firmy, musieli jednak zrezygnować z działalności rok później, kiedy zaczęto wysyłać telegramy.

● Gołębie pocztowe przenoszą wiadomości już od tysięcy lat. Używali ich nawet starożytni Egipcjanie!

Kiedy posiadanie przyjaciół było kosztowne?

Dawno temu za otrzymywane przesyłki trzeba było płacić – jeśli ktoś miał wielu przyjaciół, mogło go to wiele kosztować! Jednak w 1840 r. Rowland Hill wprowadził system pocztowy, który znamy do dzisiaj. Od tej pory to osoba wysyłająca list płaci za jego dostarczenie!

● Elektroniczny list wysłany z komputera dociera do adresata w ciągu kilku sekund lub minut. Nic dziwnego, że tradycyjną pocztę czasami porównuje się do ślimaka!

● Kserkses był królem Persji około 2500 lat temu. Wybudował łańcuch wież, z których ludzie wykrzykiwali do siebie wiadomość, przekazując ją od jednej wieży do drugiej. Taki sposób przekazu był szybszy niż jeździec na koniu – nie sprawdzał się jednak wtedy, gdy wiatr wiał w niewłaściwym kierunku!

Jak drukuje się książki z obrazkami?

Wszystkie obrazki w tej książce zostały wydrukowane przy użyciu tylko czterech kolorów – czarnego, żółtego, czerwonego i niebieskiego.

Gdy papier przesuwa się przez maszynę drukarską, każdy kolor dodawany jest oddzielnie, dzięki czemu powstają różne odcienie.

niebieski

żółty

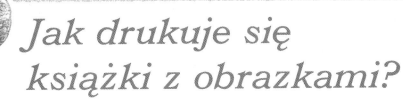

● W 1450 r. Jan Gutenberg wynalazł nową prasę drukarską z metalowymi czcionkami. Czcionki z poszczególnymi literami można było dowolnie przestawiać i używać wiele razy. Wcześniej większość książek kopiowano ręcznie, nowa metoda była więc o wiele szybsza!

● Jeśli spojrzysz na tę stronę przez szkło powiększające, przekonasz się, że wszystkie kolory składają się z maleńkich kropek – czarnych, żółtych, czerwonych i niebieskich. Kiedy te kropki nakładają się na siebie, powstają nowe kolory.

DZIŚ WIECZOREM

POSZUKIWANY

1 000 000 złotych nagrody

ZAGINĄŁ

ZNALEZIONO

Na sprzedaż

Za pomocą plakatów można ogłaszać różne rzeczy, ostrzegać ludzi lub prosić o pomoc.

czerwony

czarny

Jak powstaje gazeta?

Dzięki pracy wielu ludzi! Reporterzy zbierają i opisują różne historie, a fotografowie robią różne ciekawe zdjęcia. Redaktor naczelny decyduje, które z nich powinny trafić do gazety. Grafik projektuje gazetę w komputerze, układając tekst i zdjęcia we właściwych miejscach. Na końcu, maszyna drukarska drukuje i składa gotowe strony.

fotograf

opowieść

reporter

redaktor

składacz

drukarz

Dlaczego telefon dzwoni?

Telefon dzwoni, by poinformować cię, że ktoś chce z tobą rozmawiać! Jeśli więc twój przyjaciel wykręci twój numer, twój telefon zadzwoni.

Kiedy podniesiesz słuchawkę, prąd elektryczny przeniesie twój głos przez kabel, a twój przyjaciel będzie cię słyszał głośno i wyraźnie!

● Obecnie większość rozmów jest łączona automatycznie przez komputer.

● Dawniej łączono rozmowy telefoniczne ręcznie. Operator pytał, z jakim numerem chcesz się połączyć i wkładał kabel we właściwe miejsce.

Jak szkło łączy ludzi?

Światłowody to cienkie jak włos nitki ze szkła, splecione w kabel. Ułożone pod dnem morza służą do przekazywania różnego rodzaju sygnałów, od rozmów telefonicznych po programy telewizyjne. Informacja wędruje po nich z prędkością światła.

● Telefony mogą mieć różny kształt i wielkość, mogą być tak małe jak telefon komórkowy lub mieć kształt postaci z kreskówki. Zawsze jednak składają się z dwóch głównych części – mikrofonu, do którego mówisz i słuchawki, przez którą słuchasz.

Czy linie telefoniczne przekazują tylko dźwięk?

Linie telefoniczne przekazują nie tylko dźwięki. Dzięki wideofonowi możesz także widzieć osobę, do której telefonujesz. Dzięki faksowi możesz wysyłać listy, zdjęcia i rysunki. Także komputery łączą się ze sobą przy pomocy linii telefonicznych!

● W Stanach Zjednoczonych jest ponad 100 mln telefonów. W Waszyngtonie jest więcej telefonów niż ludzi!

Jak mój zestaw stereo odtwarza CD?

Dolna strona płyty kompaktowej wydaje się gładka jak lustro, w rzeczywistości jednak pokryta jest miliardami maleńkich rowków.

Kiedy płyta obraca się w odtwarzaczu, promień lasera świeci na kolejne rowki. Promień „odczytuje" wzór w każdym rowku jak kod, a potem przesyła do głośników informacje o tym, jakie dźwięki mają odtwarzać.

● *Titanic* odbył swą pierwszą i jedyną podróż w 1912 r. Kiedy płynął przez Atlantyk, kilka innych statków wysłało wiadomości radiowe z ostrzeżeniem przed górami lodowymi. Kapitan je zignorował, a statek uderzył w górę lodową i zatonął.

● Thomas Edison wynalazł pierwszy działający fonograf, czyli urządzenie, które dziś nazywamy gramofonem. Pierwsza odtworzona na nim piosenka nosiła tytuł „Marysia miała małe jagniątko".

Kto wysłał pierwszy sygnał radiowy?

Pierwsze prawdziwe urządzenie radiowe, które przesyłało informacje za pomocą fal radiowych, zostało zbudowane przez Guglielma Marconiego. Jednak to nie on udowodnił, że fale radiowe istnieją – dokonał tego inny naukowiec, Heinrich Hertz.

● Guglielmo Marconi zbudował maszynę, która wytwarzała fale radiowe, wzbudzając potężne iskry elektryczne.

● Kiedy zespół gra w studio, inżynier dźwięku nagrywa każdy instrument oddzielnie. Producent łączy je ze sobą, tworząc gotową piosenkę.

Kiedy docierają do nas informacje spoza naszego świata?

Satelity to statki kosmiczne, które pomagają nam komunikować się z bardzo odległymi miejscami. Przesyłają sygnały radiowe, telewizyjne, telefoniczne lub komputerowe z jednego kraju do innego w ciągu ułamka sekundy! Odbierają sygnały z ogromnych nadajników naziemnych i przesyłają je do anten satelitarnych.

Obudowa ochronna
Obudowa chroni delikatne części satelity przed promieniami Słońca.

Bateria słoneczna
Satelity komunikacyjne zasilane są energią słoneczną. Mają baterie słoneczne, które zamieniają energię promieni słonecznych na elektryczność.

● Do wszystkich kosmitów! Na sondach kosmicznych Pionier I i II umieszczono wizerunki kobiety i mężczyzny oraz mapę pokazującą, gdzie znajduje się Ziemia i Układ Słoneczny.

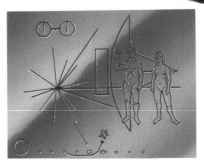

● Teleskop Hubble'a został wyniesiony w kosmos przez prom kosmiczny. Przesyła na Ziemię zdjęcia i pokazuje nam gwiazdy, których światło wędrowało do nas przez miliardy lat.

Czy kosmici próbują się z nami skontaktować?

Nie ma żadnych dowodów na to, że istoty pozaziemskie w ogóle istnieją. Jednak w razie, gdyby próbowały się z nami skontaktować, zbudowano ogromne teleskopy radiowe, które odbierają sygnały radiowe z kosmosu. Do tej pory nie odebrały żadnej wiadomości od kosmitów!

Nadajniki i anteny
Satelity komunikacyjne mają kilka nadajników i anten skierowanych ku Ziemi i innym satelitom. Dzięki temu mogą wysyłać i odbierać wiele różnego rodzaju sygnałów.

Jak telewizja pokazuje wiadomości na żywo?

● Stacje telewizyjne mają korespondentów w każdym zakątku świata, gotowych w każdej chwili przesyłać relacje o interesujących zdarzeniach.

Dziennikarze przesyłają dźwięki i obrazy do telewizyjnej redakcji informacyjnej nawet z bardzo odległych miejsc. Za pomocą przenośnego nadajnika satelitarnego przesyłają obraz do satelity komunikacyjnego, który wysyła go do stacji telewizyjnej. Dzięki temu możemy śledzić na bieżąco wydarzenia w różnych miejscach świata.

Kto dodał dźwięk do niemych filmów?

Pierwsze filmy były bez dźwięku. Podczas wyświetlania filmu w kinie grał pianista, by muzyką podkreślić nastrój poszczególnych scen. Pierwszy film z dźwiękiem nosił tytuł *The Jazz Singer* i powstał w 1927 r. Był to ogromny przebój, a nieme filmy wkrótce przestano w ogóle produkować.

● Coraz większą popularność zdobywają telewizory plazmowe, które są tak cienkie, że można je powiesić na ścianie jak obraz!

● Dzięki przenośnej kamerze wideo możecie sami kręcić filmy. Kamery umożliwiają także przesyłanie wiadomości wideo przyjaciołom lub krewnym, którzy mieszkają w odległych miejscach.

● Pewnie widzieliście już kamery w sklepach lub na budynkach. Jeśli dojdzie do przestępstwa, policja może odtworzyć nagrane na nich filmy, by zobaczyć, co dokładnie się wydarzyło.

Czy rzeczywistość wirtualna służy tylko do zabawy?

●Dzięki wirtualnej rzeczywistości architekci mogą chodzić po zaprojektowanych przez siebie budynkach – nim jeszcze powstaną one naprawdę!

Kiedy założycie hełm wirtualnej rzeczywistości, możecie przenieść się do starego zamczyska lub w kosmos. Dzięki komputerowi wydaje się wam, że naprawdę podróżujecie po tych miejscach. Rzeczywistość wirtualna może być też wykorzystywana w bardziej praktyczny sposób – do nauki jazdy czy do przeprowadzania wirtualnych operacji, podczas których uczą się studenci medycyny.

●Hełmy wirtualnej rzeczywistości są wykorzystywane do tworzenia nowych lekarstw. Sprawiają, że maleńkie atomy wyglądają jak kolorowe kule. Naukowcy mogą tworzyć różne kombinacje kul, aż znajdą właściwy, skuteczny układ różnych składników.

● Za pomocą komputera możecie nawet robić zakupy! Wybieracie towary widoczne na ekranie, pieniądze są ściągane z waszego konta, a towary dostarczane do domu.

Dlaczego używamy komputerów?

Komputery mogą przechowywać miliony razy więcej informacji niż my sami. Pozwalają nam też wymieniać informacje. Komputery mogą łączyć się ze sobą za pomocą linii telefonicznych. Taka sieć jest nazywana Internetem, a jej użytkownicy mówią, że „serfują w Sieci"!

● Zaczątki Internetu zostały stworzone przez rząd Stanów Zjednoczonych jako niezawodny sposób komunikacji podczas wojny. Nawet jeśli któryś z komputerów w sieci zostanie zniszczony, cała sieć funkcjonuje dalej.

Indeks